(Je commence à lire)

ISBN 2-203-11046-5

# Le

# magicien

## Une aventure de Lulu et Banana

auteur : Lionel Koechlin
illustrateur : Annette Tamarkin Hatwell

**casterman**

Soudain, Banana dit à Lulu :
—Oh !... Regarde : il y a un
porte-monnaie sur le trottoir.

Lulu dit :
—Quand je le secoue, on entend :
diling cliing à l'intérieur.
Ouvrons-le !
Banana constate :
—Il est plein de pièces blanches
ou dorées. Nous devons découvrir
qui a perdu ce trésor.

Les deux amis rencontrent d'abord
un singe au coin de la rue.
— Pardon, Monsieur, auriez-vous
perdu un porte-monnaie ?

—Non… Mais j'ai perdu mes outils. Hier soir, ils se trouvaient encore dans ma valise, et ce matin… eh bien, ma valise était vide!

Banana dit :
— Ça c'est bizarre.
— C'est surtout bien triste, car je ne peux plus gagner ma vie sans mes outils... Alors, je mendie.

Lulu demande :
— Et quel est votre métier ?
— Je suis illusionniste... Enfin,
magicien dans un cirque, si vous
préférez.

Ensuite, Banana et Lulu
rencontrent l'éléphant. L'éléphant
a perdu son parapluie mais pas
son porte-monnaie.

Plus loin, ils tombent sur le crocodile
qui attend l'autobus. Le crocodile
a perdu sa montre en or mais pas
son porte-monnaie.

Devant la fontaine, ils font
la connaissance de la grenouille.
La grenouille a perdu sa culotte
mais pas son porte-monnaie.

Ils croisent la chèvre derrière l'église.
La chèvre a perdu ses clefs mais pas
son porte-monnaie.

Et voilà la nuit qui descend. Banana et Lulu ont interrogé sans succès tous les animaux. Ils n'ont pas oublié la puce ni le ver de terre.

Banana dit :
— Puisque ce porte-monnaie
n'appartient à personne, nous allons
pouvoir acheter ce que nous voulons
avec la fortune qu'il contient...

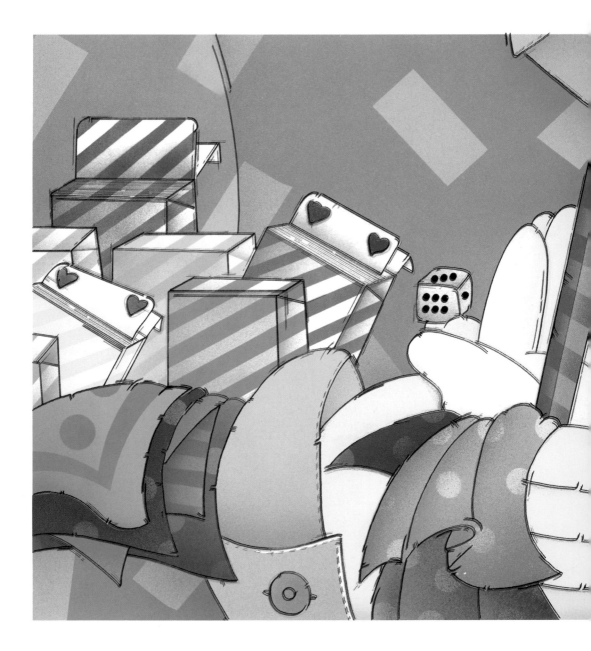

Ils entrent dans un grand bazar
et choisissent...

...Sept œufs, trois gobelets, une paire de dés, des ciseaux géants, cinquante mouchoirs de toutes les couleurs, un lapin mécanique, un sucre d'orge gigantesque, des gants blancs et douze jeux de cartes.

Banana et Lulu foncent avec
leurs paquets.

Lulu dit :
— Pourvu qu'il soit encore là !
Banana pousse un cri de joie :
— Le voilà ! Il dort à poings fermés.

Banana et Lulu remplissent
soigneusement la valise du magicien
et la ferment sans faire de bruit.
—Il aura une belle surprise
lorsqu'il se réveillera, chuchote Lulu.

— Il pensera que ses outils sont
revenus comme par enchantement
et il n'en croira pas ses yeux,
murmure Banana.

Lulu et Banana s'éloignent
sur la pointe des pattes. Ils iront
au cirque demain.

Imprimé en Belgique par Casterman, S.A. Tournai.
Dépôt légal : août 1991 ; D. 1991/0053/169.
Déposé au Ministère de la Justice, Paris (loi n° 49.956 du 16 juillet 1949
sur les publications destinées à la jeunesse)